François.

MÉDITATION SUR L'ESPRIT

DU MÊME AUTEUR

Dans la même collection :

INTRODUCTION AU BOUDDHISME TIBÉTAIN

MÉDITATION SUR L'ESPRIT

par le quatorzième Dalaï Lama

Éditions Dervy
34, boulevard Edgar-Quinet
75014 Paris

THE DALAI LAMA

THEKCHEN CHOELING
McLEOD GANJ 176219
KANGRA DISTRICT
HIMACHAL PRADESH

P R E F A C E

The First Panchen Lama's "The Great Seal of Voidness" is an important work which is written in a lucid and very concise style regarding the understanding of the mind and its true nature.

I am happy that Anne Ansermet is bringing out a translation of the book in French under the title of "Meditation sur l'Esprit" from the English version.

I hope her endeavour to make this work accessible to French speaking people will bring beneficial spiritual results.

January 29, 1982

PRÉFACE

La requête de cet enseignement a été faite par Massimo Corona à Sa Sainteté le Dalaï Lama qui l'a gracieusement acceptée pour notre plus grand avantage.

C'est un privilège assez rare de pouvoir être réunis en petit groupe autour de Sa Sainteté : nous étions à peine une douzaine d'auditeurs dans la salle d'audience de Thekchen Choeling (résidence de S.S. le XIVᵉ Dalaï Lama en Inde) par une belle matinée de juin. A ce moment de l'année la chaleur est à son maximum dans les collines pré-himalayennes, elle rendait par contraste, la fraîcheur ambiante plus confortable et l'intimité de l'assistance nous faisait éprouver vivement le privilège d'en faire partie. Ce sentiment agréable augmentait l'acuité de notre attention.

Un concours de circonstances m'a été particulièrement favorable, seul mon enregistreur a fonctionné pendant l'enseignement, et à l'audition mes « cassettes » se sont révélées parfaites.

Avec une patience sans défaillance à laquelle je rends hommage, Alexandre Berzin a traduit mot à mot les paroles tibétaines de Sa Sainteté que j'ai traduites en français.

J'ai fait, plus tard, de ce travail une pratique quotidienne, elle m'a été si profitable que j'ai réalisé combien ce serait égoïste de la garder pour moi.

Ayant reçu de Sa Sainteté l'autorisation de publier cet enseignement, je serais heureuse d'y faire participer le plus grand nombre.

Ce texte n'est donc pas destiné à être lu seulement. C'est un enseignement et comme tel il doit être profondément pensé et autant que possible pratiqué.

Ce n'est qu'en l'expérimentant qu'on en découvrira l'inestimable valeur.

Le lecteur occidental aura peut-être quelque peine à s'habituer à sa forme tibétaine qui implique des répétitions. Elles sont voulues et nécessaires pour activer l'imprégnation de l'esprit et ne pas rester à une intellection superficielle.

L'amplitude de la vue de Sa Sainteté le Dalaï Lama fait de ces quelques pages un survol du plus haut chemin bouddhique.

Mais il n'est pas nécessaire d'être Bouddhiste pour désirer le développement de son esprit. Les premiers pas sur la voie indiquée ici peuvent être parcourus par tous ceux qui cherchent une méthode (c'est pour eux qu'un petit glossaire a été compilé à la fin du texte).

Puisse ce petit livre les aider dans leur quête.

Anne ANSERMET.

Cet enseignement a été donné à Dharamsala en Inde, par Sa Sainteté le XIVe Dalaï Lama à la demande de Massimo Corona de l'Institut Tsong Khapa à Pomaïa, Italie.

Le texte servant de base à ce discours a été écrit par le Premier Panchen Lama Losang Chökyi Gyaltsen, suivant les traditions du Mahamudra des ordres Gelug pa et Kagyud pa.

Le docteur Alexandre Berzin — du service de traduction de la Library, à Dharamsala — a traduit le tibétain en anglais d'où procède cette rédaction française.

Selon la coutume, Sa Sainteté requiert la bénédiction des maîtres de la transmission de cet enseignement, puis débute ainsi :

— « Qu'ils soient riches, vieux ou jeunes, qu'ils soient instruits ou non, tous les êtres désirent le bonheur et craignent la souffrance. Chacun se pose cette question : « Comment puis-je être heureux et éviter de souffrir ? » Tous s'efforcent d'arriver à ce but en combattant par les moyens censés les plus propices.

Dans le contexte religieux quelles que soient les souffrances que l'on supporte, pour les éliminer complètement on emploie les méthodes découlant de l'écoute du Dharma, le bonheur pour lequel on lutte étant permanent les seules possibilités de l'obtenir proviennent de ce que le Dharma enseigne, c'est-à-dire la maîtrise de l'esprit.

Des auditeurs réunis ici, certains sont tibétains, il y a des Italiens, des Américains, des Français et des Suisses. Vous êtes venus, en dépit des difficultés du langage parce que vous avez un désir réel d'atteindre la paix de l'esprit.

Si la bénédiction d'un maître ou la compassion d'un Bouddha pouvait procurer cette paix, elle serait facile à obtenir, mais ce n'est pas ainsi. Les enseignements bouddhiques soulignent que ce que l'on expérimente dépend du karma et donc que bonheur et insatisfaction dépendent de nous-même, notre karma dépendant de l'esprit, du fait que l'on ait, ou non, discipliné son propre esprit.

Il y a différentes méthodes pour discipliner l'esprit et l'esprit ne devient totalement soumis qu'après avoir franchi plusieurs étapes, et parce qu'il y a ces étapes successives, les moyens employés doivent être variés.

L'état ultime d'un esprit est celui duquel les illusions, les obstacles et leurs empreintes empêchant l'omniscience ont été éliminés pour toujours.

Quelle est la discipline permettant d'arriver à ce but ? C'est le Mahamudra dans lequel méthode et sagesse sont unies et ce n'est que par ce chemin qu'on peut réellement atteindre la nature ultime de l'esprit.

Une nature dans laquelle la méthode et la sagesse sont inséparables signifie que l'on a pu « saisir » la méthode au moyen de la sagesse et la sagesse au moyen de la méthode. C'est une caractéristique propre aux tantras. Bien que cette unification tantrique soit le but principal, ce texte se réfère plus particulièrement aux sutras dans lesquels on procède un peu différemment, en utilisant méthode et sagesse comme des moyens ayant chacun sa propre nature et en les combinant ensemble.

Selon les sutras, on parle de l'union de la sagesse et de la méthode, selon les tantras, de l'unification de la sagesse et de la méthode, mais dans les deux voies la méthode signifie l'aspiration à l'éveil, basée sur la compassion et l'amour, Bodhicitta, et la sagesse est la vue correcte de la vacuité. Il est nécessaire de posséder les deux, c'est le point principal.

La première étape sur le chemin menant à la réalisation du Mahamudra est la compréhension de la réalité. On doit arriver à la certitude de l'ainséité, de la vacuité. La vue de la vacuité, qui est la même, bien entendu pour les sutras et pour les tantras, doit être affirmée, mais les manières de la méditer sont différentes. Etant donné cela, les maîtres du Tibet ont appliqué des méthodes variées pour acquérir cette assurance.

Tsong Khapa, dans sa transmission, utilise des moyens légèrement différents de certains des anciens maîtres, pour certifier la nature de la réalité.

Cet enseignement-ci expose une manière spéciale et non commune de soutenir la « vue correcte » et de méditer sur la vacuité. Bien qu'il vienne de Tsong Khapa, il a subi quelques modifications au cours des transmissions orales qui ont suivi et c'est pourquoi le premier Panchen Lama l'a rendu clair en écrivant le texte du Mahamudra appelé « le Grand Sceau de la Vacuité ».

Texte : *Je me prosterne devant le Mahamudra, le Grand Sceau de la Vacuité. Je me prosterne devant mon incomparable maître, seigneur des réalisations hautes et étendues, qui enseigne dans les moindres détails le diamant de l'esprit, le Mahamudra, le grand sceau de la vacuité, nature pénétrant toutes choses, ainséité des objets et de la vacuité elle-même. Bénissez-moi afin que je puisse suivre le chemin conduisant à la parfaite unité du Mahamudra.*

— « Le grand sceau du Mahamudra est l'ainséité, la nature qui pénètre chaque phénomène, la vacuité prise comme objet et ce qui saisit cet objet soit la vue correcte par laquelle on comprend la vacuité. Ces deux termes sont comme de l'eau versée dans de l'eau, du même goût, sans être colorée par la moindre apparence de dualité. Ils se rapportent au Vajradhatu, sphère de l'esprit. La définition non tantrique de l'esprit est celle d'un « clair connaisseur ». La définition tantrique est celle de la « primordiale claire lumière de simultanéité » (synchronisme de la méthode et de la sagesse).

Dans le Mahamudra, la vacuité prise comme objet est inséparable par nature de l'esprit la comprenant. Comme la nature de tous les phénomènes dans le monde des apparences est vide d'existence propre, non seulement l'ainséité est dépourvue d'existence autonome, mais la conscience qui la prend pour objet de méditation et la manière dont elle l'appréhende sont inséparables par nature et la nature de cette inséparabilité est aussi vide d'existence intrinsèque.

Les prosternations indiquées dans le texte sont faites respectueusement devant le maître qui explique avec clarté la méthode de cette méditation. Ces prosternations sont faites devant le corps, la parole, l'esprit, les vertueux agrégats et les bonnes qualités du maître, une attention particulière est donnée à la parole du maître et parmi les activités de cette parole à celles qui expliquent l'ainséité primordiale, substrat de tous les phénomènes.

Texte : *Combinant l'essence des enseignements oraux des traditions du Mahamudra selon les sutras et les tantras avec les explications données par les traditions Gelug et Kargyud sur ces enseignements, transmises oralement de Guru à disciple, je suivrai ici, principalement les commentaires traditionnels de Dharmavajra et de son fils spirituel qui avaient atteint les plus hautes réalisations.*

— « Bien que la vacuité en tant qu'objet de méditation soit la même, l'esprit qui la médite est différent selon les sutras ou les tantras. Ce texte utilise principalement des termes provenant des sutras, mais avec des références occasionnelles aux méthodes tantriques. L'intention de cette approche par les sutras étant de conduire l'esprit mûri par cette méditation sur le seuil du tantrisme.

Le texte se réfère d'une part au sutra de la Prajna-paramita dans ses trois versions (en 8 000, 20 000 et 100 000 vers) et au tantra de Guhyasamaja. L'auteur, le premier Panchen Lama, a synthétisé l'essence des sutras et tantras impliqués pour faciliter la compréhension des grands textes originaux.

Texte : *Il y a premièrement la préparation : pour pouvoir entrer par le portail et comprendre la charpente des enseignements du Bouddha en général et particulièrement ceux du Mahayana, il est essentiel de prendre Refuge et de développer une attitude éclairée de Bodhicitta non seulement en paroles, mais sincèrement, du fond du cœur.*

— « La pratique du Mahamudra consiste en préliminaires, pratique effective et conclusion.

Au sujet des préliminaires : on prendra Refuge pour se distinguer des non Bouddhistes et on développera Bodhicitta pour se distancer du véhicule inférieur.

On doit donc prendre Refuge dans le Bouddha, le Dharma et le Sangha non seulement par des mots mais du fond du cœur, avec une profonde sincérité et pleine confiance, réalisant que les qualités de ces trois refuges sont basées sur de justes raisons. On considérera aussi ces trois suprêmes refuges Mahayana comme le symbole de nos futures réalisations, que nous nous promettons d'atteindre, ce dont nous voulons témoigner par cet acte.

Les Refuges Mahayana sont ceux dans lesquels toutes les qualités des autres refuges sont comprises et qui, par leur objectif, s'élèvent au-dessus de tous les autres refuges. On développera Bodhicitta qui permet de dépasser le chemin inférieur.

Bodhicitta, l'Esprit d'Eveil, possède deux caractéristiques : un ardent désir d'atteindre l'Illumination et de l'atteindre pour le profit de tous les êtres.

Sans cette aspiration, on pourrait considérer l'état d'Ahrat comme suprême et le prendre pour but. Mais sans Bodhicitta, la pratique des tantras elle-même devient une pratique mineure et sans vrai avantage, Bodhicitta est l'état d'esprit qui la transforme. Bodhicitta est essentiel, il est la racine de tous les enseignements bouddhiques ; on peut considérer les pratiques Hinayana comme les prémices de cet état d'esprit. Les excellentes actions de la conduite, comme la générosité, la pratique des paramitas, sont l'entraînement dans lequel on s'engage dans le but d'obtenir un réel Esprit d'Eveil.

Cet Esprit d'Eveil attisera le zèle nécessaire à acquérir la concentration sur un point, shiney, lhag tong et le samadhi. Djé Rimpoché le constate :

— « Ce précieux Bodhicitta est très difficile à trouver dans les trois mondes, mais c'est la racine des enseignements bouddhiques. Quelles que soient vos possibilités de méditation, Bodhicitta est réellement indispensable au début du chemin, au milieu et à la fin. »

Les causes de Bodhicitta sont excellentes, ses résultats sont excellents, sa nature est excellente et permet de joindre le but ultime pour nous et pour les autres. Bodhicitta apporte un bonheur immédiat et en même temps durable. Il est vraiment le « Joyau qui comble les désirs ».

Dès que l'on fait naître Bodhicitta dans son courant de conscience, on accumule rapidement les énergies positives vertueuses et la sagesse indispensables pour obtenir la Bouddhéité, seul état permettant d'accomplir spontanément et automatiquement nos projets et ceux des autres.

On ne doit pas être motivé par une simple curiosité intellectuelle envers les Refuges et Bodhicitta, on doit connaître ce qu'ils représentent et ce qu'ils impliquent avec la volonté d'en faire le signe distinctif de son esprit. On doit lutter pour cultiver une conscience aspirant à avoir la nature des Refuges, axée sur la volonté d'atteindre la Bouddhéité pour le bénéfice des êtres, animée d'un désir ardent et constant de transformer les états négatifs de l'esprit. On ne sera pas capable d'opérer cette transformation en un jour, nous sommes des êtres ordinaires au début du chemin spirituel et nous aurons de grands efforts à faire, jour après jour, étape après étape pour nous familiariser avec la méthode judicieuse qui nous mènera jusqu'au but. Mais c'est en luttant de cette manière que l'on prend réellement Refuge et que l'on développe Bodhicitta, non conceptuellement, mais du plus profond du cœur.

Ceci termine les préliminaires.

Texte : *La réalisation de la nature de l'esprit étant dépendante de la collection de vertus obtenues et de l'élimination des obstacles, vous devriez, pour arriver à cet état, vous hâter de vous purifier par de nombreuses prosternations faites en récitant un très grand nombre de mantras de Vajrasattva et en présentant d'innombrables requêtes à votre Guru inséparable des Bouddhas.*

— « Pour être capable de reconnaître la nature de l'esprit, tout d'abord sa nature conventionnelle puis son ultime nature, il est nécessaire d'accumuler des actions vertueuses qui ont le pouvoir d'éliminer l'obscurité résultant des nombreuses illusions, car cette obscurité empêche de voir la nature conventionnelle de l'esprit. C'est pourquoi ces exercices de purification préliminaire sont indiqués.

Le maître étant le symbole des trois joyaux des refuges, il est opportun de lui offrir le « puja » d'offrandes en sept parties en lui demandant de

vous permettre de produire une vue correcte de
la compréhension du Mahamudra suivant une définition exacte.

Texte : *Au sujet de la réelle pratique il y a plusieurs*
manières d'exposer le Mahamudra. Lorsqu'on les
divise en deux, il y a celle des sutras et celle des tantras.

— « Suivant les différentes lignées de maîtres,
la méditation du Mahamudra est expliquée de
diverses façons. En abrégé il y a l'explication tantrique du Mahamudra et celle des sutras. Ces
différences ne se rapportent pas au Mahamudra
lui-même, mais à « ce » qui le médite et le réalise.

Texte : *La dernière (tantra) concerne l'obtention*
de l'état de simultanéité de la Claire Lumière et de la
Félicité amené par des méthodes habiles, par exemple
celle de l'activation du Corps de Vajra et d'autres...

— « La base du Mahamudra de la tradition
tantrique repose sur le conditionnement du corps
humain, qui dès la naissance est composé de six
constituants et qui possède des canaux d'énergie
et des « airs » pouvant soutenir et « véhiculer »
Bodhicitta. Mais la conscience, rendue confuse par
les préconceptions inhérentes à l'état samsarique
est incapable d'utiliser ces conditions que le corps
possède pourtant dès sa formation.

Pour être capable d'arrêter la masse de ces grossières préconceptions et de manifester la primordiale Claire Lumière, on doit utiliser de puissantes méthodes qui permettront d'activer le corps de vajra et de dissoudre ensuite dans la vacuité le produit de cette activation. Des causes positives contribueront à rassembler des circonstances extérieures et intérieures propices. Dans Heruka, l'accumulation et la dissolution des énergies se font par la pratique de Tu-mo. Dans Guhyasamaja on emploie les « airs » comme méthode. Khedup Losang Gyatso explique ce yoga dans son ouvrage intitulé « Sang wa dug pé » (étapes du yoga de Guhyasamaja). Il y a deux méthodes principales conduisant à la manifestation de la primordiale Claire Lumière de simultanéité. Une consiste dans l'activation des airs-énergies, elle relève de la tradition de Tsong Khapa et de ses disciples. L'autre s'attaque au caractère décevant et trompeur de la pensée, accueillant les pensées qui surgissent, les prenant comme objet de méditation, puis les dissolvant afin de permettre à la Claire Lumière de se manifester, elle est employée par l'école Nying ma pa.

Ceci résume la tradition tantrique du Mahamudra, qui par ces moyens habiles permet le Grand Accomplissement, la manifestation de la primordiale Claire Lumière de simultanéité.

Texte : *Le Mahamudra selon les traditions de Nagarjupada, Sahara, Naropa et Maitripa est la quintessence de l'Anuttara Yoga tantra selon ce qui est enseigné dans les 7 textes des Mahasiddha et les 3 volumes du « Cœur » de Sahara.*

— « Les trois textes de la Prajnaparamita exposent selon les sutras la tradition du Mahamudra, la méthode de la méditation sur la vacuité. Nagarjuna disait qu'il n'y a pas d'autre chemin pour atteindre la Libération.

Aussi longtemps que nous ne sommes pas conscients de notre propre erreur dans la saisie d'une existence autonome, nous errons dans le samsara sous la dépendance des douze liens des origines interdépendantes ; nous sommes la proie de la nescience, d'une conscience faussée. La nature de la réalité nous est voilée comme par un épais brouillard et nous la saisissons (ou croyons la saisir) d'une manière opposée à ce qu'elle est. Nagarjuna dit que cette sorte de contrainte qui nous oblige de voir les choses comme elles ne sont pas est due au pouvoir de l'ignorance sur notre esprit provoquant la préhension d'une réelle existence. Toutes les souffrances, toutes les frustrations proviennent de cette fausse vue. Il faut faire cesser cette nescience qui provoquant la confusion avec laquelle on saisit les objets des sens fait obstacle à l'omniscience. Une conscience éclairée comprenant le manque d'existence inhérente en appréhendant les objets comme simples « formes apparentes » fait un tort direct à l'ignorance.

L'esprit qui n'est pas dirigé vers l'objet en le prenant pour « vrai » est supporté par une connaissance valable correspondant à la réalité, l'autre pas. Ainsi, de ces deux esprits, l'un blesse l'ignorance et l'autre se blesse lui-même. Cela provient de la validité ou de l'invalidité du raisonnement qui analyse le phénomène. En se familiarisant avec le premier, on arrive à une évidence de plus en plus certaine et qui n'a pas de fin, tandis que l'autre mène à une impasse, parce qu'il n'a pas de base valable. En s'habituant à l'esprit qui comprend le manque d'existence autonome on peut, graduellement, par étapes, éliminer la saisie d'une existence intrinsèque. Ce qui neutralise cette mauvaise « graine » et l'élimine complètement est ce qui permet à l'état paisible de non dualité, de Libération de se manifester et c'est pourquoi Nagarjuna dit : « A l'exception de cette méthode il n'existe pas d'autres moyens pour atteindre la Libération. »

Donc, conformément à ce que disent Nagarjuna et ses fils spirituels, on doit tout d'abord arriver à une compréhension correcte, durable puis définitive de l'ultime nature, de l'ainséité, selon la tradition des sutras concernant le Mahamudra, et ceci, non pas en ayant un simple intérêt, même vif à la compréhension générale de la vacuité, mais en prenant comme point de méditation la nature vide de l'esprit le plus intérieur. On peut obtenir une claire compréhension de la vacuité en prenant n'importe quelle base, un vase par exemple, mais ici, étant donné que le samsara provient de ce qu'on ne réalise pas la vacuité de l'esprit, reconnaître sa vraie nature est le juste antidote. Bien qu'il n'y ait pas de différence entre la nature ultime de l'esprit et celle du vase, il existe néanmoins une différence de valeur entre ces deux objets et s'assurer de l'ultime nature de l'esprit est essentiel. C'est pourquoi l'enseignement du Mahamudra concerne la méthode par laquelle on médite sur l'esprit en le prenant comme base.

Suivant leurs idiomes individuels, certains érudits ont expliqué diversement cette méditation sur l'esprit le plus intérieur afin de trouver le moyen le plus adéquat d'en reconnaître la nature profonde.

Texte : *Il y a de nombreuses traditions telles que « Surgissement et dissolution spontanés », « la Boîte d'amulettes », « Ayant cinq », « les Six cercles de goût égal », « les Quatre syllabes », « l'Apaisant », « Couper bref », « le Grand accomplissement », « la Vue centrale Madhyamaka ».*

— « La tradition de « surgissement et dissolution spontanés » est transmise par un commentaire de

Djé Gampopa et a rapport à la méditation des surgissement et dissolution simultanés de la conscience primordiale, Gampopa exerce aussi ses disciples par les six yogas de Naropa. « La boîte d'amulettes » est un commentaire de Khedup Kieng po. Cette méditation utilise l'expérience des « quatre fautes » (qui sont les expériences du moment précédant la mort) et le fruit qui en résulte automatiquement est l'éveil des trois corps de Bouddha.

Toutes les apparences de l'existence sont comme un rêve... Les phénomènes n'existent que comme apparences, ils ont une nature vide et sont le jeu de l'ainséité, ils sont aussi le jeu de la conscience primordiale que nous appelons l'innée claire lumière et qui a cette même nature.

Ces points doivent être compris.

Lorsque les maîtres tibétains du passé sont arrivés à une compréhension définitive de la « vue correcte », ils l'ont expliquée de deux manières : la vue correcte du point de vue de l'ainséité, soit la nature vide elle-même et la vue correcte réalisant que les objets ont cette même nature. Avec ces deux vues, on peut voir que toutes les apparences de l'existence, tous les objets, tous les phénomènes sont des manifestations réflexibles. Qu'est-ce que cela signifie et comment peut-on le comprendre ? Cela signifie que, quel que soit l'objet que l'on examine, ayant la nature de la vacuité, il apparaît sur la base même de ce vide, qui ne l'empêche pas d'apparaître car le fait d'être vide d'existence autonome ou intrinsèque, cela même permet à l'objet de se manifester comme un reflet. Finalement on peut dire que toutes les apparences de l'existence, tout ce que nous appelons des « existants » sont le jeu de l'esprit primordial et en ont la nature. On peut les comparer aux nuages se formant dans le ciel, puis s'y évanouissant de nouveau, car toutes les apparences de l'existence tirent leur origine de l'innée claire lumière et s'y dissolvent.

Elles sont en fin de compte comme les vagues de la primordiale claire lumière elle-même et leur cause, ou origine étant cette conscience primordiale, cette innée claire lumière, elles en sont des manifestations réflexibles, des reflets.

Ces manifestations réflexibles doivent être comprises comme vacuité, nature vide, et cette définition peut être acceptée aussi bien par les sutras que par les tantras.

Puisque tout est le jeu de la conscience primordiale, que tout est illusion, nescience, ignorance, on peut en parler comme nature de la vacuité ou comme objets ayant cette nature. Cependant les objets sont vus et ressentis comme s'ils étaient définitivement existants. C'est dans ce sens qu'il est dit que « toutes les apparences de l'existence sont comme un rêve ».

Une plus profonde explication compare les phénomènes à une apparence déguisée de la grande félicité ininterrompue. « Grande félicité » doit être comprise dans le sens d'un sentiment de béatitude libre de toute élaboration mentale ou de modes d'existence factices. La spontanéité de l'esprit dissociée de toute fabrication est béatitude. Cette béatitude est un état libre du concept mental de l'existence inhérente, le « Lam Dhé » souligne que la conscience innée est de la nature de la béatitude.

L'état actuel de la conscience grossière qui appréhende les objets des sens peut être comparé à la « corde prise pour le serpent », ce n'est pas la manière correcte de comprendre leur vraie nature, on ne peut connaître la vraie nature des phénomènes qu'au travers de notre propre expérience méditative : lorsque cette nature s'élève dans notre esprit sans contrainte, au-delà de toute pensée conventionnelle et de tout concept intellectuel.

La tradition qui utilise la méditation s'appuyant sur les « Quatre Syllabes » en détaille avec soin les points principaux, et en expose le but qui est de s'opposer à l'attention préconçue et trompeuse portée aux objets et de la faire cesser. L'explication qui en est donnée ici est succincte : les syllabes sont Ah, Ma, Na, Sa. La première syllabe est employée pour couper les fondements de l'esprit grossier. La seconde est un moyen de fixer l'esprit. La troisième empêche la conscience de dévier de son objet de méditation. La quatrième démontre que l'esprit peut être employé comme sentier.

Comme toutes les explications esotériques concernant les tantras, celle-ci est assez sybilline, je passerai donc sur ce que l'on peut dire des autres. Il convient tout de même d'indiquer la tradition Dzog Chèn des anciens tantras Nyingma et finalement la tradition Madhyamika des tantras Kadampa anciens et nouveaux.

Bien que tous ces enseignements aient des noms divers et utilisent de multiples expériences réalisées par les maîtres des différentes traditions, tous ont la même base de méditation.

Texte : *Néanmoins lorsque des yogis expérimentés en méditation et érudits en écriture et en logique examinent la signification de ces différentes méthodes, ils, constatent qu'elles ont toutes le même objectif.*

— « Si nous expliquons le mot « méditer » suivant la tradition de Khedup Kiengpo se rapportant à la vue correcte de la nature vide en elle-même et à la vue correcte des objets-apparences ayant cette nature vide, nous constatons que l'explication est analogue à celle de Guhyasamaja donnée par Djé Tsong Khapa et à celle de la signification cachée de la méditation des « Quatre Syllabes », soit que « méditer » est réaliser que les objets-apparences sont le jeu, les émanations des consciences « portées » par les « airs », de l'esprit inné de la claire lumière de simultanéité au niveau le plus subtil des « airs » par lesquels cette conscience primordiale se manifeste.

Nagarjuna a noté dans le texte Rimngä loung : « C'est une manière de pouvoir comprendre la vue juste du point de vue des phénomènes ».

Concernant la vue correcte de la nature de la vacuité elle-même, il est indiqué dans le Rimnga drel tso et dans le Rimnga sel drun : « Beaucoup ont un même goût et un seul goût l'est pour beaucoup ».

Ceci se rapporte à la vacuité.... peu importe les objets qui apparaissent, ils ont tous le même « goût » de vacuité. Cette manière de comprendre est la principale méthode Madhyamika, le point de vue de l'ainséité elle-même.

Bien qu'il y en ait différentes explications traditionnelles, la signification de l'ainséité est toujours la même. De nombreux maîtres cultivés et habiles ont exposé la vacuité par des raisonnements logiques concernant les niveaux conventionnel et ultime de l'esprit.

Par ailleurs, les résultats d'autres maîtres également cultivés n'ont pas toujours concordés exactement avec les raisonnements des premiers. Ils considéraient que leurs expériences méditatives étaient plus déterminantes que des raisons discursives.

Si on examine au point de vue strictement logique les travaux de certains de ces maîtres, on peut y trouver de légères erreurs. Mais en les contemplant du point de vue de la méditation, on constate que tous les maîtres du Tibet sont arrivés à la même conclusion sur la vue de la vacuité.

Certains maîtres ont soutenu que cet enseignement du premier Panchen Lama faisait partie des œuvres à « signification interprétable » et qu'on ne pouvait pas l'accepter littéralement. Le deuxième Panchen Lama défend cette opinion dans un discours sur le Mahamudra fait à Kum Bum : — « Comment pouvons-nous admettre qu'une vue basée sur une proposition affirmative-négative et une vue basée sur une proposition non affirmative-négative puissent arriver au même résultat de méditation ».

Cette façon de présenter cette objection ne devait pas être ce que le Panchen Lama avait dans l'esprit.

D'autres érudits, du reste, ont déclaré que cet enseignement était définitif et après y avoir beaucoup réfléchi, je me rallie à cette conclusion. Le premier Panchen Lama était un moine pleinement ordonné, un « Gelong » tenant les vœux du Vinaya et pratiquant les trois disciplines. Il n'aurait certainement pas parlé légèrement sans s'être assuré de ce qu'il allait affirmer concernant un point sur lequel une juste compréhension peut conduire à la Libération et une erreur vous en empêcher.

Par la suite le texte est très clair et montre nettement une connaissance réelle de la nature de l'esprit.

***

Texte : *Ainsi, de ces deux principales techniques du Mahamudra ce qui suit se rattache à la tradition des sutras dans laquelle le méditant reste fixé sur la vue correcte de la vacuité et l'examine.*

— « L'auteur nous dit que le fait d'arriver à cette réalisation n'est pas une chose extraordinaire en elle-même car elle n'est pas du même type que la réalisation du Chemin d'accomplissement. Ce premier pas ne permet que de reconnaître la nature conventionnelle et non la vacuité de l'esprit, et à ce niveau on ne peut encore espérer être libéré du samsara. Il ne le considère pas non plus comme l'union de Shi ney et Lha tong.

Si le premier Panchen Lama n'était pas quelqu'un qui ne « mâche pas ses mots », il n'aurait pas écrit si franchement ces restrictions, aussi cela m'incite à considérer ce qu'il dit de la vue correcte comme un enseignement définitif.

L'objection du deuxième Panchen Lama que la vue de la vacuité est dans ce cas une proposition affirmative-négative pourrait être en rapport avec ce qu'en disent les grands maîtres Dzog Chèn.

Quand on médite sur la vue correcte selon la tradition Dzog Chèn, on médite sur l'ainséité en elle-même, d'une part et de l'autre sur « ce qui a » une nature vide. Tetar Tamzik Dorje le souligne dans de nombreux textes sur Haya Griwa. Il est utile de connaître ces deux vues, elles sont une clé. La compréhension en est facilitée par notre discussion précédente concernant les deux vues dans la tradition de Khedup Kiong po.

Selon Dzog Chèn, le débat, d'une part, doit porter sur la vue correcte de l'ainséité (en tant qu'objet) d'autre part sur la vue correcte de ce « qui » détient » cette nature vide (le sujet). Le principe méditatif appartient ici au secret chemin tantrique.

Quand on parle de « ce qui a une nature vide », on se rapporte à l'esprit inné, primordial, qui est un jeu de la claire lumière ; il est la claire lumière qui saisit l'objet et l'objet qu'il saisit est également la claire lumière. Le moyen de méditer sur la claire lumière qui saisit l'objet est bien expliquée par la méthode Dzog Chèn. Le but de la méditation étant de réaliser cette claire lumière-sujet, avec une ferme concentration unidirectionnelle, il faut méditer encore et toujours, en avoir une grande habitude. On doit essayer de libérer l'esprit des notions d'être produit, de demeurer, de cesser.

Il se dégagera alors complètement de ces caractères de production, de durée et de cessation. C'est une méditation affirmative-négative, n'est-ce pas ?

Tandis que, lorsqu'on médite directement et sans la diviser en deux, sur la claire lumière, on médite sur une négation non affirmative. C'est ce qu'enseignent les Madhyamika quand ils disent que tous les phénomènes manquent d'existence inhérente...

Pour revenir à la méditation précédente, en résumé, on médite premièrement sur le sujet, esprit primordial, claire lumière, donc sur ce qui a une nature vide et qui est libre des caractères énumérés ci-dessus. Secondement on médite comme la tradition Kyong po l'expose, en voyant toutes les apparences comme le « jeu » de la claire lumière. Petit à petit, on obtient la persuasion que purs ou impurs, tous les phénomènes qui surgissent ne sont que le jeu de la claire lumière de l'esprit primordial. Dans l'énoncé « tous les phénomènes ne sont que des noms ou désignations », on comprend que, du fait que les apparences s'élevant comme samsara ne sont que le jeu de la primordiale claire lumière, pour cette raison même ils ne sont que des noms dépendant de circonstances diverses et de leur désignation.

C'est ainsi qu'on arrive à la compréhension définitive de la Vue de ce qui détient une nature vide, nommément l'esprit primordial et on est certain que les phénomènes ne sont pas des entités substantielles et autonomes, mais uniquement des désignations mentales.

Dans un travail du deuxième Panchen Lama, en réponse à la question : « Un yogi pratiquant selon les théories tantriques des Cittamatrins peut-il gagner une conviction parfaite des vues non communes Madhyamika-Prasangika ? » Le Panchen Lama répond : « On arrive à une compréhension parfaite de cette vue correcte au niveau de « l'esprit dissocié » de l'étape d' « accomplissement » du chemin tantrique ».

Quand la plus subtile conscience s'est manifestée par le pouvoir de la fusion des diverses consciences, réalisée étape après étape, du plus grossier niveau des consciences sensorielles au plus subtil, cette expérience convaint que les phénomènes n'existent que par leur seule appellation, selon la vue Prasangika. Quand on arrive à cette compréhension définitive et concluante de l'esprit primordial, alors, bien que toutes les apparences surgissent, tangibles, vivantes et éclatantes, on « sait » qu'elles ne sont qu'un jeu et ne se distinguent que par leur nom. C'est donc ce qu'atteste le deuxième Panchen Lama et les maîtres Dzog Chèn arrivent au même résultat.

On peut considérer de la même veine la tradition enseignant qu'au moment de la mort la claire lumière de la vacuité apparaît, mais que nous ne pouvons pas en avoir une réelle compréhension si nous n'avons pas précédemment développé les pouvoirs de l'écoute, de l'investigation et de la méditation. A ce moment, néanmoins, la vacuité apparaît de la même manière que lorsqu'elle s'impose par la force de la méditation. Khedup Losang Gyatso l'affirme également. En comparant cette dernière expérience à ce dont nous avions parlé précédemment, notre conclusion est indéniable.

Lorsqu'on regarde la vue Dzog Chèn superficiellement, on considère que leur méthode de méditation de la vue correcte de la vacuité est une affirmative-négative, et au contraire, la méditation Madhyamika de la vacuité est purement une négation non affirmative, car on médite sur l'absence totale de l'objet qui devait être réfuté, sans possibilité d'appréhender quoi que ce soit qui pourrait être un résidu ; donc, au premier coup d'œil, ces deux méditations sont tout à fait différentes.

Mais quand on contemple plus profondément, on voit qu'il y a une façon de méditer en concentration intense, focussée sur l'esprit qui comprend la vacuité, pendant que, par le biais en découle la réalisation que les phénomènes ne sont qu'une appellation mentale. C'est un moyen direct de comprendre la vacuité d'où dérive un moyen indirect de saisir la non-existence des apparences.

Une autre méthode de méditation consiste dans la contemplation de la nature constante de la vacuité.

Dans les deux formes de méditation, la vacuité est prise comme but et toutes deux arrivent au même résultat.

Texte : *Des deux principales techniques du Maha-mudra, ce qui suit provient de la tradition des sutras dans laquelle, le méditant, restant fixé sur la vue correcte de la vacuité, investigue la vacuité.*

— « Tous les phénomènes sont vides d'existence inhérente, pour obtenir une réalisation définitive de ce fait, il faut focusser l'esprit sur le résultat de la compréhension issue de l'analyse. On peut aussi, sans analyse préalable, pratiquer une concentration focalisée sur l'esprit et petit à petit en se fixant sur cette base on peut arriver à la réalisation de la vue correcte. C'est à cette seconde méthode que le texte se réfère. »

Texte : *Sur une plateforme, la plus propice à conduire le méditant à une heureuse concentration, on prend la position dite en « sept points » et on se purifie par la « ronde des neuf respirations ».*

— « Une planche de méditation légèrement sur-élevée servira de siège sur lequel on s'assiéra dans la position complète du vajra, ou dans la demi-position, ou si on ne peut pas, tout simplement avec les jambes croisées, mais en maintenant la colonne vertébrale bien droite et en vérifiant les points importants de la posture. L'esprit sera purifié par la méthode des neuf respirations. Cet exercice sert à débarrasser l'esprit des pensées grossières d'aversion et de désir aussi bien que de l'intérêt que l'esprit prend à appréhender des objets extérieurs agréables ou désagréables.

Par la suite de ces respirations, on obtient une tranquillité équanime, et on doit rester le plus longtemps possible dans cet état neutre qui sépare l'esprit du désir et de l'aversion. Comme on se prépare à une méditation sur l'esprit, un état d'esprit limpide, disponible est indispensable sur lequel « ce qui » ce concentrera puisse être une conscience vigilante et aiguë. On travaillera donc très soigneusement à acquérir un état vertueux de l'esprit afin de le rendre utilisable.

Texte : *Ayant complètement extirpé les attitudes négatives, avec un esprit vertueux, on prendra Refuge en développant la motivation de se libérer du samsara et de manifester Bodhicitta. Méditant sur le profond Guru yoga et ayant fait plusieurs centaines de requêtes ferventes à votre maître vous devez le visualiser se dissolvant en vous. Dans l'état dans lequel toutes les images mentales ont été contractées jusqu'à leur com-*

plète disparition, vous devez rester en ferme concentration unidirectionnelle sans vaciller, sans pensées artificielles, libre de crainte et d'espoir.

— « C'est ainsi que l'on doit débuter dans la méthode qui a la méditation sur l'esprit pour objet.

Après ces sincères requêtes faites à votre maître parce qu'il est votre inspirateur, vous dissolvez son image en vous et cet état de bien-être, libre de peur et de désir, contribue à rendre l'esprit « capable ». Aucune des pensées que vous avez abandonnées précédemment n'y doit revenir et de nouvelles pensées ne doivent pas naître, il ne faut accepter aucune élaboration susceptible d'agiter l'esprit.

L'esprit sera vigoureux, maintenu dans un état d'immobile disponibilité sans cogitations comme l'espoir d'atteindre une réalisation ou la crainte de n'y pas parvenir.

Il y a certes de nombreux objets permettant de développer la tranquillité mentale, néanmoins il y a une importance particulière à utiliser l'esprit, parce que cet entraînement sera un bon préliminaire à la pratique future du chemin d'accomplissement de l'anutara tantra et immédiatement parce que, parmi les cinq composants essentiels de l'individu l'agrégat des consciences est le principal et que, si on parle en termes de corps et d'esprit, l'esprit est prépondérant.

Dans la vie quotidienne ordinaire nous ne sommes pas très conscients de notre esprit, nous sommes trop occupés par les objets des sens, formes, sons, goûts, odeurs, contacts ; de ce fait l'esprit en lui-même n'apparaît pas, bien qu'il fasse sans aucun doute partie de notre courant de conscience, mais distraits par les apparences extérieures, notre corps physique et les organes des sens dominent.

Au moment où on commence à porter son attention sur l'esprit et où on l'analyse pour le mieux connaître, on se rend compte qu'il contrôle le corps et la parole et que c'est à travers lui que nous éprouvons les diverses expériences de bonheur et de souffrance. Nous commençons à entrevoir la manière dont l'esprit fonctionne et dont il appréhende l'existence réelle, nous le voyons aussi comme lien entre nos vies passées et futures et de ce fait nous constatons qu'il y a un avantage immédiat à s'en occuper.

Donc il n'y a pas seulement ce corps physique, mais aussi cet esprit... d'où vient-il ? Comment est-il là ? Nous en cherchons les causes et nous en reconnaissons les effets, et, en raisonnant, nous pouvons trouver, par simple déduction, comment on peut établir les vies passées et futures.

Notre attention superficielle devient peu à peu plus concentrée et avec étonnement nous nous apercevons que bien qu'il semble évident que l'esprit ne peut pas se focaliser sur lui-même comme une épée ne peut se couper elle-même, en réalité nous sommes en train de le faire car cet esprit est une suite de moments de conscience dont un des moments peut se fixer sur un autre, exactement comme le « je » peut fixer le « je ».

Un deuxième moment de conscience peut se fixer sur un premier moment de conscience dans le but de prendre ce premier moment comme objet de réflexion ; ce sera le rôle de l'attention et de la mémoire. Nous devons avoir une conscience concentrée sur un point, ce point étant l'esprit.

Texte : *Ce qui ne signifie pas, cependant, que votre attention doit cesser, comme si vous étiez évanoui ou endormi, vous devez, au contraire tenir cette attention à distance et ne pas la laisser vagabonder.*

Etre vigilant pour avoir conscience du plus léger mouvement mental.

— « Il faut donc avoir l'esprit comme objet et une conscience qui le focalise en concentration.

Quand on médite, on ne doit jamais oublier l'objet de méditation ; car si on l'oublie, on ne peut pas en prendre l'habitude. Mais comment peut-on continuellement et avec endurance tenir l'esprit fixé sur un objet ? — Au moyen de l'attention stabilisée sur l'esprit sans vaciller.

L'attention a trois fonctions : 1) maintenir la continuité de ce qui a été vu avant, ceci pour 2) empêcher l'esprit d'oublier ou de perdre l'objet de méditation, 3) maintenir la netteté de l'objet sans qu'il se brouille ou que l'image vacille. L'attention doit être ferme et constante, posée à une légère distance de l'objet. C'est très difficile d'avoir l'esprit fixé sur l'esprit... vous verrez !

Nous pouvons parler aisément de la définition de l'esprit comme d'un « clair connaisseur », mais avoir un vrai sentiment de ce qu'est réellement un « clair connaisseur » est extrêmement ardu. C'est ce clair connaisseur qui permet à l'apparence d'un objet de se manifester, d'être précis et net. C'est une expérience de conscience que l'on peut reconnaître d'après nos propres observations. Quand l'expérience arrive, l'esprit est ressenti comme le « clair connaisseur » ; on doit alors maintenir cette expérience vivante par la force de la mémoire.

Pour tester si l'attention qui soutient son objet le fait correctement, il faut utiliser la vigilance qui veillera à ce que l'attention ne quitte pas son objet, ne soit pas distraite par l'irruption de pensées trompeuses. L'attention appréhende l'esprit comme objet et assure la continuité de la méditation, et la vigilance veille à ce que l'attention ne faiblisse pas, comme un policier en état d'alerte.

Lorsqu'on parvient à reconnaître ce clair connaisseur, qui est la nature conventionnelle de l'esprit, l'attention doit renforcer sa concentration.

Texte : *Alors avec une attention vigilante, vous devez regarder la nature de cette limpide conscience.*

— « Non seulement il est nécessaire d'avoir une concentration unidirectionnelle centrée sur l'esprit, mais nous devons nous assurer de la netteté avec laquelle il apparaît. Il y a deux sortes d'obstacles mentaux : l'agitation et la confusion. L'agitation mentale peut être grossière ou subtile, de même qu'il peut y avoir une confusion grossière ou subtile. Succinctement parlant, l'agitation affecte le placement sur l'esprit tandis que la confusion empêche sa clarté même si la concentration continue.

En méditation, il est de la plus haute importance d'avoir une apparence nette de l'objet. En ce qui concerne l'esprit pris comme objet, l'esprit-sujet doit saisir un état de claire pureté. L'esprit-sujet languissant, ennuyé, manquant de vigilance et de spontanéité est un empêchement, même si l'esprit-objet reste présent à la mémoire.

On classera ce genre d'interférence dans la catégorie de la confusion... l'agitation et la confusion sont donc les principaux obstacles à la fixation de l'esprit. D'autres faits peuvent dissiper l'esprit. Par exemple, l'attrait d'un désir irrésistible vers un objet plaisant qui l'obsède ; cet obstacle est du domaine de l'agitation mentale. Tous les facteurs d'opposition rentrent dans l'une ou l'autre de ces deux catégories : agitation ou confusion. La vigilance permet d'en être conscient ; donc, accentuons plus fortement la vigilance en pensant que la plus légère brume mentale peut devenir un épais brouillard. Dans la confusion, il y a encore quelque élément de clarté, mais le brouillard mental dégénère rapidement en obscurité. Il faut savoir distinguer l'agitation mentale, la confusion et l'obscurité et on ne peut le faire que par son expérience personnelle.

Texte : *Reconnaître pour ce qu'elles sont n'importe quelles pensées pouvant surgir.*

— « Quand on est dans un état de bonne concentration méditative, sans rien d'artificiel, il se peut que tout à coup des pensées ou des images surgissent et que l'esprit s'égare sur elles oubliant en un instant, totalement, sa concentration. C'est pourquoi il faut employer la vigilance qui rappellera à l'ordre la conscience défaillante.

Texte : *Ou comme dans un duel vis-à-vis d'un adversaire : « parer » à ces pensées dès qu'elles surviennent.*

— « Le texte indique deux méthodes : d'une part, dès que et quelles que soient les pensées qui surviennent, en être immédiatement conscient et les reconnaître. La vigueur de l'intention originelle par laquelle l'esprit a été fixé et qui a amené une concentration aiguë sur un état sans élaborations aucune, limpide, permettra de reconnaître les pensées étrangères qui troubleront cet état. Elles cesseront d'elles-mêmes par le fait même que nous les identifierons.

L'autre méthode, celle qui est semblable à « parer » les coups d'un adversaire armé, consiste à arrêter immédiatement les pensées sans chercher à les reconnaître.

Texte : *Ce travail fait, votre esprit étant stable et clair, vous pourrez relâcher un petit peu votre vigilance, sans cependant perdre votre attention.*

— « Après un certain temps, grâce à l'accoutumance, on expérimente petit à petit les neuf degrés de la méditation tranquillisante ; alors quelle que soit la pensée qui survient, on est capable de la reconnaître et de la faire cesser. La force et l'habitude de la méditation retardent son arrivée ; cependant que la puissance de la vigilance et de l'attention s'accroît, la vigilance reste en état d'alerte, au cas où une idée indésirable surgirait. Lorsqu'il n'y a plus d'erreurs dues à l'agitation mentale ni à la confusion, on peut méditer à l'aise et laisser l'attention se détendre un peu. Ceci parce que, sous la tension d'une trop grande contrainte, l'esprit fatigué finirait par vagabonder. Bien entendu, ce serait une erreur de renoncer à toute attention, mais quand on se familiarise avec la méditation et qu'on peut, sans fatigue en augmenter la durée, les pensées sont plus rares, l'esprit est ferme et bien clair, on peut se relâcher un peu et ne garder son attention qu'à l'arrière-plan.

Le Lam Rim recommande de reconnaître, au fur et à mesure où on les expérimente, les neuf étapes de fixation de l'esprit. Elles permettent de juger des progrès accomplis. »

Texte : *Comme Ma lob kyi dröm ma le conseille, lorsqu'il y a une ferme fixation sur l'esprit, on peut se relâcher sans cependant laisser l'esprit vagabonder.*

En outre, quand vous examinez la nature des pensées intempestives qui apparaissent, elles se dissolvent automatiquement pour laisser la conscience limpide et claire, comme au moment de la plus attentive concentration sur l'esprit.

— « Quand aucune pensée ne survient et que l'esprit est stable, sa qualité transparente, limpide et immaculée apparaît. L'esprit n'a ni forme ni couleur ; il ne peut être saisi par aucun des organes des sens, il est pure connaissance, il rend net et précis chaque phénomène qui surgit, pensée ou

objet et par cela on sait qu'il est de la nature de
la « connaissance » ; en méditation, quelque soit la
pensée qui s'élève, si vous arrivez à distinguer sa
nature, elle disparaîtra automatiquement. Comme
les vagues se fondent dans l'eau, étant de la nature
de l'eau, les pensées s'évaporent dans l'esprit étant
de la nature de l'esprit ; elles ne sont rien au-delà
de la nature de la conscience. Quand vous examinez
ce que vous croyez être la nature de ces pensées,
elles se dissolvent, car leur base est le clair connaisseur lui-même. »

Texte : *Ne voyant aucune différence entre ces deux
(la nature des pensées et celle de l'esprit), on appelle
cet état l'association de l'esprit mouvant et de l'esprit
immobile.*

— « En examinant les pensées qui apparaissent
de moments en moments dans votre courant de
conscience, vous verrez qu'elles ne sont pas autre
chose que l'expression de la claire conscience elle-
même, que votre esprit soit fermement concentré
ou agité par des idées, vous arriverez à cette conclusion.

De nombreuses expériences l'ont prouvée. Sans
bloquer ou arrêter ces intellections, ou ces images,
sans essayer de les repousser, mais en les considérant
comme les vagues du jeu du Dharmakaya, on
applique la méthode préconisée par la tradition

Kargyu et on arrive au même résultat que par l'autre méthode.

Texte : *Ainsi quand on a reconnu qu'une pensée ne crée pas d'empêchement lorsqu'elle survient, en d'autres termes lorsqu'on reconnaît sa nature, elle est comme un oiseau en plein océan qui volète, puis revient se poser sur le navire d'où il s'est échappé.*

— « Une fois que la pensée a surgi, qu'elle dure plus ou moins longtemps et ce qu'elle exprime n'a pas d'importance, car, tôt ou tard, elle finira par s'évanouir. Quand on examine sa nature, on voit qu'elle est simplement de la nature de la claire conscience dans laquelle elle se dissoudra. On expérimente alors le fait que, mû par des pensées ou immobile, l'esprit n'est pas autre chose qu'une claire conscience.

C'est ce que l'auteur appelle « l'association de l'esprit immobile et mouvant ».

Texte : *En cultivant de telles méthodes, la nature de l'esprit se révèlera comme une limpide clarté sans obstruction.*

— « En développant votre concentration sur la nature de l'esprit de cette manière, vous le sentirez dégagé de toutes les contradictions. L'état de la conscience en ferme concentration est libre de toutes les erreurs dues à l'agitation et à la confusion, sa nature, comme le dit le texte est limpidité et clarté.

Par ailleurs, l'esprit peut être fixé sur n'importe quel objet et s'en étant rendu maître, on peut l'utiliser comme on veut. On peut concentrer l'esprit sur un quelconque objet tangible ; mais ici, l'objet est un simple aspect de clarté et de pureté libre de toute opposition. »

Texte : *Non défini comme ayant une forme, il est transparent comme l'espace et permet à chaque chose de se présenter en plein éclat.*

— « On ne peut trouver aucune forme, tangibilité ou couleur à l'esprit ; quelle que soit l'apparence de l'objet qu'il rencontre, temporairement il prend l'aspect de cet objet, sa nature qui est pure clarté consciente s'élève dans les aspects variés des phénomènes qui surgissent. Il est dit dans « Gompa rap sel » : « Cet aspect-ci ou cet aspect-là de cet objet-ci ou de cet objet-là se montre et c'est l'esprit ! »

Nous devons premièrement expérimenter cette claire conscience dénuée de toute manifestation objective pour être capable de la reconnaître dans la production de « cet objet-ci ou de cet autre, de cet aspect-ci ou de cet autre », c'est ce qui permet, comme le dit le texte, à quoi que ce soit qui apparaît, de se révéler comme vivant et précis ».

Texte : *En vérité, une telle nature de l'esprit doit être pénétrée, vue, expérimentée directement. Elle ne peut pas être démontrée verbalement comme étant « ceci ». Il faut, dès lors, contempler sans aucune saisie conceptuelle, ce qui s'élève dans l'esprit.*

— « Ainsi la nature conventionnelle, ou la définition conventionnelle de l'esprit, ou ses conditions conventionnelles ne peuvent pas être connues par un raisonnement logique, mais par l'expérience directe provenant de l'habitude répétée de fixer l'esprit sur l'esprit. Il ne peut pas être décrit en termes de forme ou de couleur, car il a la nature d'un clair connaisseur, et on ne peut réaliser cette conventionnelle nature que par sa propre expérience. »

Texte : *Les grands méditants du pays des neiges ont tous émis la même opinion, en déclarant que cette méditation était la matière pouvant « forger » la Bouddhéité. Ceci étant, moi, Chöky Gyaltsen, déclare qu'elle est en tout cas un moyen merveilleux permettant aux commençants de reconnaître la nature conventionnelle de leur esprit.*

— « Il serait incorrect de penser que l'expérience développée soit la connaissance de la nature ultime de l'esprit. Elle conduit à reconnaître la nature conventionnelle de l'esprit et à atteindre la tranquillité mentale, samatha ou shi ney. L'obtention de samatha est le fondement nécessaire pour atteindre de plus hautes réalisations, bien qu'en elle-même cette tranquillité mentale ne soit pas suffisante ; cependant, l'esprit focalisé sur lui-même, libre de toute agitation et de toute confusion, produit un sentiment d'extase physique et mentale qui correspond à la définition de samatha. Dans son état ordinaire, notre esprit peut être comparé à du fer brut. Pour faire une arme dont on puisse se servir, il faut d'abord le matériel nécessaire, le fer ; puis, transformer ce fer en le « trempant » ; il devient de l'acier, prêt pour confectionner une arme menaçante. L'auteur de ce texte se réfère à cet exemple quand il parle de « forger » la Bouddhéité, car notre esprit doit être transformé en acier par la réalisation de samatha, puis en arme par une parfaite compréhension de la vacuité, l'esprit ayant la vacuité comme objet de méditation. Sans cette dernière réalisation, l'esprit ne pourrait pas être une arme pour combattre toutes les erreurs. Techniquement, l'esprit doit avoir une complète tranquillité et par là obtenir la vue juste de la vacuité. L'union de ces deux étapes est très efficace.

Texte : *Au sujet de la méthode permettant de reconnaître la nature ultime de l'esprit, je me réfèrerai aux instructions personnelles de mon Guru Sanghié Yeshé, qui est la primordiale conscience de tous les Bouddhas assumant la forme d'un moine revêtu de la robe safran ; il a éliminé toute obscurité de mon esprit.*

— « La méthode qu'il évoque est celle par laquelle on peut arriver à une définitive compréhension de la nature ultime de l'esprit. »

Texte : *Pendant la méditation sur un point, le fixer calmement comme je l'indique précédemment ; puis, comme un petit poisson regarde autour de lui sans troubler l'eau limpide de l'étang, examiner avec intelligence et par le moyen d'une conscience plus subtile « qui » est la personne qui médite.*

— « Dans l'état de ferme et unidirectionnelle concentration sur l'esprit, une petite partie de la conscience doit examiner analytiquement et avec intelligence la nature de la personne qui médite ou le « je » conventionnel. Il y a deux aspects à analyser : la personne ou le « je » qui utilise les objets et aussi « ce » qu'il utilise et dont la base se trouve parmi les cinq groupes ou agrégats. La compréhension du manque d'identité de la personne est plus facile à réaliser que la non-identité des phénomènes.

Commençons donc par comprendre la non-identité du « je » conventionnel. Tout d'abord, il faut saisir comment cette nature du « je » conventionnel se présente devant notre esprit, c'est-à-dire (et dans le cas où nous aurions déjà quelque notion de l'impermanence) comme chaque moment de l'ensemble de ses agrégats. Quelle peut être sa « vraie » existence par comparaison avec cette manière d'apparaître.

Quel que soit l'objet que nous examinons, notre conscience le perçoit comme quelque chose de tangible que l'on peut « montrer du doigt ». Effectivement, que nous parlions du « je » qui utilise les phénomènes ou de ceux-ci comme étant des causes de plaisir et de souffrance, ou que nous parlions des agrégats comme en étant la base, nous pensons qu'ils (« ceci » ou « cela ») se manifestent comme quelque chose de délimité et de substantiel que l'on peut montrer, existant réellement à la place où nous croyons les trouver.

Nous parlons du « je » conventionnel comme étant le contrôleur ou même le possesseur des objets. Ce qui possède « mon » corps et emploie « mon » esprit, car lorsque le corps est malade on dit : « je suis malade, et quand l'esprit connaît quelque chose on dit : « je » connais ».

Ce « je », auquel les phénomènes apparaissent, semble exister par lui-même, avec indépendance, avec une solide présence. Parfois, quand notre corps est douloureux, ou quand nous oublions quelque chose d'important, nous éprouvons une sorte de colère envers notre corps, ou envers notre esprit, et « ce » qui est en colère est cet insaisissable « je » qui paraît envoyer de la colère à notre esprit comme à un objet ou à un lieu. Lorsque nous heurtons notre main qui devient sensible, nous appréhendons cette main comme si elle était extérieure au « je » ; nous projetons de la colère envers cette main douloureuse, comme si la douleur était un ennemi. La main et le « je » ont l'air indépendants et sans relation l'un avec l'autre. Le « je » est-il donc sans rapports avec le corps, ni avec l'esprit ? Et s'il en a, quels en sont la nature ?

Nous vivons tous les jours des exemples comme celui que je viens de citer sans nous poser de questions ; pourtant, pour arriver à une réelle connaissance de la nature des choses, il faut se concentrer sur ces points et les analyser.

Texte : *Le Protecteur Nagarjuna l'a dit lui-même :* « *Une personne n'est ni la terre, ni l'eau, ni le feu, ni le vent, ni l'espace, ni la conscience, ni le tout, mais séparée d'eux elle n'existe pas* ».

— « Quand on analyse le « je », on s'assure tout d'abord que l'endroit dans lequel ce « je » existe est bien l'ensemble d'un corps et d'un esprit : « j'existe sur la base de mon corps et de mon esprit, je n'existe nulle part ailleurs, je n'existe pas dans cette table, par exemple ». C'est évident. Mais dans

ce complexe corps-esprit, où suis-je ? Nous conti-
nuons cet examen à travers les agrégats par procédé
d'élimination, nous demandant sur quel consti-
tuant ce « je » peut-il bien être imputé. On croit
constater qu'il est imputé sur l'ensemble des éléments ; on reprend le procédé éliminatoire qui avait
servi à s'assurer des agrégats, et on se pose la même
question pour chacun des éléments : « le « je » est-il
l'élément terre, ou eau, etc. Finalement, on est
convaincu que l'on ne peut pas trouver le « je »
dans la plus petite partie du corps, ni dans le plus
petit moment du continuum de son esprit ».

Il est très important de ne pas « sauter » à la
conclusion que l'on connaît intellectuellement déjà,
mais de faire encore et toujours ces mêmes analyses
avec un intérêt « frais » et autant d'application que
si c'était la première fois.

Une personne n'est pas « réellement » existante
parce qu'elle est désignée sur la collection des six
sphères ; or séparée de cet ensemble, que peut
être la personne ? Elle n'est pas la plus petite partie
d'une nature séparée du corps et de l'esprit et qui
serait différente d'eux ; elle n'est pas non plus une
nature que les agrégats posséderaient en totalité
ou chacun individuellement. Le « je » ne peut pas
être trouvé séparé du corps et de l'esprit et n'est
pas trouvé « logé » dans l'esprit ni dans aucune
des bases énumérées ci-dessus. Et pourtant il n'y
a aucune autre place où il peut être trouvé. Il n'en

reste pas moins qu'il y a un « je » que le karma accumulé blesse ou aide, qui en expérimente les fruits. Il y en a un, définitivement. Si, parce qu'on ne peut pas le trouver on disait qu'il n'existe pas, cela contredirait la plus simple perception et notre expérience directe. Nous disons : « Je suis heureux, je suis triste », bien que nous ne sachions pas clairement où est ce « je », son existence est établie par notre propre constatation. Ceci étant, et puisqu'il n'a pas de base déterminante, nous pouvons dire que le « je » est un nom donné à la collection des éléments. Il n'existe réellement pas, il est purement nommé, il n'est qu'une désignation de l'ensemble des éléments.

Texte : *De même qu'une personne n'est pas réellement existante, n'étant que la désignation de l'ensemble des six sphères, de même aucune des sphères n'est réellement existante parce qu'elle n'est qu'un assemblage de parties.*

— « Cet égo qui collecte le karma et en expérimente les fruits de bonheur ou de peine, qui utilise les phénomènes, est une simple appellation provenant de causes et de circonstances, et les agrégats ou sphères et les bases sensorielles sur lesquelles ce « je » est étiquetté, existent exactement de la même manière que le « je » ; ils n'ont pas d'existence autonome et indépendante. Pourquoi ? Parce que, comme le « je » est une dénomination sur la base de la totalité des six sphères, chacune de ces six sphères est nommée sur la base de ses parties et dépend d'elles. Par exemple, la désignation de l'élément nommé « terre » se réfère à la qualité dominante d'un ensemble de certaines particules.

Ultimement « ceci » ou « cela », catégories et objets ne sont que des dénominations mentales et n'existent pas par eux-mêmes. Ils ne sont jamais « la chose » que l'on cherche, ni « l'endroit » où on croit la trouver. Ils ne sont à aucune des places où la désignation mentale les situe ; mais si vous dites qu'ils n'existent pas du tout puisqu'ils n'existent pas en vertu d'un pouvoir indépendant ni au lieu où notre nescience les place, c'est faux ! L'expérience quotidienne démontre qu'ils doivent exister. Alors qu'est-ce que cela signifie, comment donc ces choses peuvent-elles exister ?

Elles ont une existence conventionnelle de par le nom qu'on leur donne, par la seule force de la désignation ; mais elles sont considérées comme inaptes à être réellement des « existants ». Ceci est accepté dans le Mula Madhyamaka Karika et dans le Thrangnga lekchi niengpo.

Si l'on pouvait prouver que « ceci » ou « cela » ont une existence indépendante, comme on imagine réel un morceau de bois ou une pierre dans les fissures desquels on peut mettre le doigt, ils n'apparaîtraient pas seulement sous l'influence de l'esprit conventionnel qui les prend pour objets ; ils seraient

« ceci » et « cela » par eux-mêmes. Ce n'est pas le cas. Quand vous essayez de définir « ceci » ou « cela », ils correspondent à ce qu'en dit Nagarjuna : « Les choses sont établies par les élaborations de l'esprit qui les prend pour de réels objets ».

Ainsi les phénomènes n'existent que par le pouvoir de ce qui les prend comme objets, par la force de la convention, par la puissance de l'esprit, de la désignation mentale. Mais cette seule puissance du « nom » est incapable de donner une réalité aux choses. Prenons par exemple le corps : il est un ensemble de parties comprenant la tête, le tronc, les membres, etc. ; quand on morcelle ces parties individuelles, on ne peut pas trouver quoi que ce soit qui réponde au mot : corps.

L'esprit aussi, le « clair connaisseur » est nommé sur la continuité de moments de conscience qui se succèdent et sur les bases de « ce » qui révèle les différents aspects des phénomènes. A part ces moments précédents et suivants, on ne peut pas trouver la plus petite partie de ce qui est appelé « esprit » comme entité séparée, pas plus qu'on ne peut trouver une des six sphères parmi leurs composés. En plus de leurs parties, sphères et esprit sont relatifs à un ensemble de causes et de conditions. De même, l'individu, le « je » est dépendant d'un ensemble de causes, de conditions et de circonstances.

Texte : *Vous ne pouvez pas trouver le plus petit atome d'une concentration unidirectionnelle ou de quelqu'un qui soit dans cette concentration. Réalisant cela, vous perfectionnerez votre connaissance de la vacuité ressentie comme un pur espace en vous concentrant fermement sur elle sans la moindre distraction.*

— « Quand on fait cette analyse, on ne peut pas trouver, ne fut-ce qu'un atome d'existence indépendante dans un agent en concentration méditative, ni dans l'objet de focalisation de cette méditation, ni dans aucune apparence parce qu'il n'y a aucun phénomène existant par son propre pouvoir et qui soit autre chose qu'une simple dénomination, sur la base de nombreuses conditions interdépendantes.

Quand on est attristé en constatant que les événements ou les individus sont trompeurs ou décevants, on doit penser qu'ils n'ont aucune existence autonome et ne sont que des noms donnés à un ensemble de conditions relatives les unes aux autres.

L'esprit doit être focalisé fortement et doit pénétrer dans la pure négation résultant de l'analyse ; dans cet esprit, il ne devrait y avoir aucune préhension de « ceci est la vacuité », aucune élaboration, comme celle de se dire : « maintenant j'ai atteint la vacuité » ou « je suis en méditation sur la vacuité », aucune pensée, aucune conception ne doit rester dans l'esprit, il ne doit s'y trouver que l'absence de « ce » qui a été réfuté. Malgré leur nature vide, les objets apparaissent ; ils se présentent tangibles et séparés, de sorte que l'esprit est « contraint » d'être attiré par eux comme s'ils avaient une réelle existence.

Mais maintenant, après analyse, l'esprit *sait* qu'ils n'existent pas à l'endroit où ils apparaissent ; ils sont éliminés par l'esprit qui a coupé le nœud qui les reliait à une existence autonome.

Cette certitude se produit au moment où l'esprit est complètement absorbé dans l'absence de l'objet d'analyse ; cet état provient et suit la parfaite compréhension des origines interdépendantes et de l'existence purement conventionnelle. De par leurs causes et conditions relatives les unes aux autres, les phénomènes ont la faculté de remplir certaines fonctions.

Ces fonctions sont déterminées par l'existence nominale du phénomène supposé et résultent de sa dépendance à certaines bases, selon lesquelles elles procurent satisfaction ou insatisfaction. Elles possèdent les quatre caractéristiques de l'existence. C'est parce que les phénomènes sont produits de cette manière qu'ils n'ont pas d'existence inhérente. Alors, avec la certitude de l'existence uniquement conventionnelle de toute chose, l'esprit renonce à la notion d'autonomie. Il est totalement convaincu. Un tel esprit n'a plus que la vacuité pour objet.

Comme cette totale négation ne permet pas de mettre un autre concept à sa place, il s'agit bien d'une négation non-affirmative.

Si l'esprit cogite intellectuellement : « Ceci est la vacuité, ceci est la non-existence intrinsèque », cette vue conceptuelle objective de l'ainséité n'est pas juste. L'esprit doit pénétrer, percer la négation elle-même ; c'est d'une plus profonde conscience que doit poindre la certitude que les choses n'existent pas de la manière dont elles apparaissent, l'esprit doit subsumer le domaine de la pure négation. Ce qui se produit à ce moment s'appelle « la fixation unidirectionnelle sur la vacuité ressentie comme espace ». C'est le chemin du milieu ou vue Madhyamika, dans laquelle les deux extrêmes ont été évités. Quels sont ces deux extrêmes ? L'extrême d'existence intrinsèque et l'extrême de totale non existence, de nihilisme. La certitude que l'objet n'existe pas du tout élimine l'extrême d'éternalisme. Mais en voyant que ce même objet apparaît de par la jonction d'un certain nombre de causes et de conditions, qu'il est nommé en dépendance de celles-ci, nous éliminons la notion de sa totale non-existence. Quand nous serons absolument persuadés que seuls le pouvoir de la désignation et la force des conditions originelles réunies créent les phénomènes, ces nombreux facteurs déterminant leur possibilité d'accomplir certaines fonctions, nous aurons éliminé les deux extrêmes.

Texte : *Pendant cet état, vous pouvez examiner l'esprit qui n'est pas défini comme quelque chose ayant une forme, mais qui est pure clarté sans obstruction. Cette limpidité sans obstacles permet à toutes les apparences et à toutes les pensées de s'élever. L'esprit est en lui-même un courant de clarté consciente sans aucune discontinuité. Cependant, il apparaît comme quelque chose d'indépendant que l'on prend implicitement pour un « objet » que l'on appréhende. En se basant sur l'autorité des textes, on doit acquérir la conviction que l'esprit n'existe pas de la manière dont il apparaît.*

— « Ce qui est appelé esprit est un ensemble de moments de conscience précédents et suivants, et en prenant cette définition comme source, dans l'état de tranquillité stable que nous avons atteint, nous examinons la nature constante de l'esprit comme celle d'un « clair connaisseur » ; nous constatons qu'il n'existe que par cette désignation mentale sur un ensemble de parties-moments et qu'à part cela, il n'existe rien d'autre.

Ceci est un énoncé succinct de la méditation spécifique qui prend l'esprit comme base.

***

Texte : *En bref, selon mon vénérable Guru Sang-gya Yeshé, omniscient dans le véritable sens du terme :*

« *On doit être parfaitement conscient que tout ce qui s'élève dans l'esprit n'y est amené que par la pensée conceptuelle* ». *Alors le domaine de la vacuité luira, et vous immergerez votre conscience dans cette aube. Ce sera ineffable.*

— « Quand, suivant nos capacités, nous aurons acquis une réelle compréhension de la vacuité, quand nous aurons bien saisi le sens de l'existence au moyen des origines interdépendantes et de la désignation mentale, quand nous aurons approfondi cette compréhension au mieux de nos capacités, alors, quels que soient les phénomènes qui surgissent : montagnes, barrières, familles et quelles que soient les apparences en tant que formes, couleurs, sons, odeurs et contacts, nous saurons qu'ils n'existent que par la force des causes et conditions, que par la convention qui les nomme comme étant « ceci » ou « cela ». N'existant que soutenus par des élaborations conceptuelles, quoi que ce soit qui apparaît, ne tient son existence que du fait d'être nommé, d'être dépendant d'un concept, d'être créé par une idée. En ayant réalisé cela — soit l'ainséité ou réalité ultime — cette nature vide s'élèvera automatiquement, sans que l'on ait besoin de chercher par le raisonnement sa dépendance à une désignation mentale. La profondeur de notre connaissance d'une existence purement conventionnelle permettra l'éveil de cette ultime vérité, sans qu'il soit besoin de rien d'autre.

En d'autres termes, quand nous aurons conquis la certitude que quoi que ce soit qui apparaît ne le peut sans être dépendant d'autres facteurs, alors, ainsi que le texte l'indique, notre conscience se fondra dans l'aube de cet éveil.

Quand nous sommes bien installés dans notre tranquille et stable concentration unidirectionnelle sur l'esprit, quels que soient les objets qui surgissent leur apparence nous persuade de plus en plus de la vacuité de leurs composés. Nous pouvons honnêtement déclarer : les apparences éliminent l'extrême d'une totale non-existence et leur vacuité élimine l'extrême de la réelle existence. Etant vide d'existence inhérente, il est très raisonnable, puisque tout de même ils apparaissent, de penser qu'ils sont dépendants de conditions et n'existent que par le pouvoir de ces dernières. Cela nous convaint de plus en plus de leur manière d'exister : les apparences n'empêchent pas la vacuité et la vacuité ne contredit pas les apparences.

Texte : *Ainsi convaincus de ce mode d'existence, vous saurez l'appliquer de la même manière à la nature de tous les phénomènes, samsara et nirvana.*

— « Sur ce sujet, Aryadeva a exprimé la vue du Bouddha Sakyamuni de la manière suivante : « La façon dont l'esprit-sujet voit la vacuité d'un phénomène est la même dont il voit toutes choses.

Ce qui est la vacuité d'une chose est, par nature, la vacuité de tout ».

Ceci doit être attribué à tous les phénomènes. La certitude à laquelle vous êtes arrivé concernant la vacuité d'un objet rend inutile l'énumération des raisons qui prouveraient la vacuité d'un autre phénomène, de tout le domaine du connaissable. Quand on acquiert la ferme conviction de la non existence propre dans sa définition complète, par le moyen des origines interdépendantes, en se souvenant de son expérience méditative, on aura obtenu la réalisation de la vacuité comme le texte ci-dessus l'indique.

Les deux vérités proviennent d'une unique nature, l'ainséité, comme mode d'existence de tous les phénomènes. Cependant, jusqu'à ce que nous ayons éliminé les obstacles empêchant l'omniscience, cette ainséité ne peut se révéler que dans l'état de méditation concentrée sur elle. Quand l'ultime vérité est prise comme objet de méditation, la vérité conventionnelle des apparences ne peut pas s'élever, demeurer, cesser. Notre esprit n'est pas capable de méditer sur les deux vérités ensemble. A notre niveau, l'objet de méditation sera la simple perception d'un clair espace immaculé.

Texte : *Dans l'état méditatif d'une concentration unidirectionnelle juste et adéquate, la nature vide des choses apparaît, libre d'élaborations mentales, comme samsara et nirvana, existence et non existence.*

— « Dans l'état où l'objet de méditation analytique est la saisie spontanée des phénomènes, examen qui conclut à leur absence, à la réfutation de l'objet, toutes les matières et sujets autres que des désignations mentales, disparaissent.

Texte : *Lorsque vous sortez de votre méditation et que vous analysez le fonctionnement des origines interdépendantes, elles se révéleront sans erreur comme n'étant que des noms ; leur nature est donc celle des rêves, des illusions, des mirages semblables au reflet de la lune dans l'eau.*

— « Durant les périodes post-méditatives, quand vous analysez la manière dont les phénomènes purs et impurs apparaissent comme tangibles et authentiques, leur réalité qui n'est que le fait d'une désignation s'impose à vous sans erreur.

Mais la force des obstacles qui empêchent l'omniscience (due à notre ignorance innée) peut parfois vous obliger à voir les apparences comme tangiblement existantes ; à ce moment, il faut affirmer de nouveau en vous-même la conviction acquise en méditation. En pensant à cette expérience, le manque de substantialité des phénomènes s'ancrera en vous, plus solidement. Les rapports entre la vacuité et les apparences deviendront évidents et vous verrez toutes choses comme « une illusion, le reflet de la lune dans l'eau ».

C'est ainsi qu'il faut s'efforcer de voir toutes choses entre les sessions de méditation. Cette pratique doit être cultivée constamment.

Texte : *Quand vous serez capable de voir simultanément les apparences n'obscurcissant pas la vacuité et la vacuité n'empêchant pas les apparences, à ce moment vous manifesterez l'excellent sentier où la vacuité et les origines interdépendantes sont comprises comme étant synonymes.*

— « La vacuité et les origines interdépendantes, étant de même essence et intimement liées, apparaîtront comme synonymes. Lorsque vous contemplerez le point de vue de la vacuité, vous le ressentirez comme « origines interdépendantes » et sur la base des origines interdépendantes, la vacuité se révélera. Sans l'oublier, mais en la considérant, en quelque sorte comme une « porte » vous y verrez « entrer » les origines interdépendantes. Par ce double point de vue, vous accumulerez une collection de vertus. Travaillez à cela car il a été dit : « Les réalisations résultant des pratiques réunies de la méthode et de la sagesse sont les Corps de Bouddha, parce que le mode d'existence de n'importe quel objet est vacuité et apparence ».

Analysez continuellement une base, de cette base s'élèvera une compréhension définitive de la vacuité et des origines interdépendantes, c'est-à-dire de la vérité conventionnelle et de la vérité ultime. Pour arriver à en imprégner vos courants de conscience, il faut développer correctement et conjointement la sagesse et la méthode et en suivant ce chemin, vous acquerrez les deux corps de Bouddha.

C'est pourquoi il est dit : « Vous manifesterez directement l'excellent sentier ».

Dédicace de l'auteur.

Texte : *Cet exposé a été composé par le méditant Losang Gyaltsen qui a reçu beaucoup d'enseignements. Il dédie les qualités qu'il a développées pour que tous les êtres puissent devenir promptement Bouddha en suivant ce chemin à part lequel il n'existe aucun autre passage pour accéder à l'état de paix.*

Cette méthode permettant d'accéder au Mahamudra a été compilée pour répondre aux requêtes répétées de Gedun Gyaltsen de Nachu, possesseur du degré Rab Jampa et de Sherab Senge de Ha Tong, possesseur du degré Kachupa, tous deux ayant jugé que la vie quotidienne dirigée par les huit principes du monde était une comédie démente, se sont retirés dans la montagne, suivant la conduite des Bouddhas et ont pris cette méthode comme pratique essentielle.

Ce texte a été également l'objet de requête de plusieurs autres disciples qui désirent mettre le Mahamudna en pratique. Il a été compilé à partir de la réalisation de l'omniscient Gyalwa En-sa-pa dont voici une citation : « Ayant enseigné à la façon du Kadam Lam Rim du plus haut chemin la méthode partant de la dévotion au Guru et passant par la tranquillisation mentale et la vue profonde, je n'ai pas été capable de traduire en mots la fin du chemin, l'ultime conduite à tenir pour obtenir le Mahamudra ; elle n'est pas incluse dans cette méthode expliquée succinctement ».

« On peut se demander comment il se fait que les phénomènes soient vides puisqu'ils apparaissent, ou comment peuvent-ils être produits puisque des raisons valables prouvent leur vacuité ? La force de notre compréhension méditative répondra à cela en augmentant la conviction contraire soit que c'est précisément la vacuité d'existence inhérente elle-même qui permet le fonctionnement des apparences. Voir les apparences s'élever, cesser, surgir, disparaître confirme notre conviction de la vacuité d'existence inhérente ».

Le Padampa Sangyä avait dit dans un enseignement : « Une fois que la conscience appliquée à la perception de la vacuité l'a comprise, elle se tourne vers elle-même pour détruire la saisie de sa propre existence indépendante. Dans le domaine de la vacuité, la perception correcte ne rencontre aucun obstacle, ô gens de Dingri ».

— « Le second Dalaï Lama disait : « Quoi que ce soit qui apparaît surgit dans l'esprit comme existant sous le pouvoir d'un ensemble de conditions. »

— « Quoi que ce soit qui surgit, parce qu'il tient son « être » d'origines interdépendantes et multiples, manque d'existence intrinsèque et cette existence inauthentique étaie notre foi à un manque d'existence autonome. »

Toutes ces citations expriment la même intention.

Ce qui précède est un exposé de la réelle méditation sur la Vue Correcte en placement concentré sur un point.

Texte : *A la fin de la session, dédiez les mérites acquis par cette méditation du Mahamudra ainsi que les océans de mérites accumulés pendant les trois temps, à l'incomparable obtention de la Bouddhéité.*

— « En d'autres termes, quelles que soient les qualités positives accumulées pendant cette méditation sur le Mahamudra, vous devriez les orienter vers l'obtention de l'Incomparable Illumination et non les gaspiller pour quelque but inférieur impermanent et momentané.

Entre les séances de méditation, essayez de voir tout l'environnement comme s'il était un mirage. En s'exerçant ainsi, on peut gagner une plus intense conviction du manque d'existence inhérente.

Lorsqu'une pensée ou un objet apparaît dans un des six domaines de la conscience, examinez-le, analysez la manière dont il apparaît à l'esprit comme autonome et séparé, ou simplement nommé par le mental. La constatation qu'il n'existe pas comme il apparaît renforcera votre conviction de sa nature vide.

Texte : *Quand vous serez habitué à cette méditation, quelle que soit l'apparence qui s'élèvera comme objet de connaissance dans l'un des six domaines de la conscience, en l'examinant soigneusement, vous verrez son mode d'existence se révéler automatiquement.*

— « Lorsque nous saisissons n'importe quel objet par le moyen d'une des six consciences, spontanément, ou même après une légère investigation superficielle, il semble exister par lui-même et non par le pouvoir d'une seule désignation mentale, mais comme s'il était indépendant. En prenant l'habitude d'une analyse détaillée d'un phénomène quelconque et en gardant à l'esprit le souvenir de l'expérience méditative éprouvée précédemment, il se révèlera rapidement comme une apparence vide et au bout d'un certain temps, la réalisation de cette nature s'imposera immédiatement et automatiquement à notre esprit ».

Texte : *Reconnaître d'une manière exacte tout ce qui s'élève dans l'esprit est la preuve d'une vue correcte.*

— « En bref, dès que n'importe quel sujet ou objet, pur ou impur survient dans notre esprit, il est important de ne pas le « croire » tel qu'il apparaît, solide, tangible ; mais comme la citation suivante l'indique : « quand une apparence de solidité s'impose à nous comme indépendante, pensons que cela se rapporte à ce qui est obscur en elle ».

Cette proposition aide à ne pas saisir comme réelles les apparences appréhendées par les divers organes des sens. Chaque objet semble exister sans relation avec quoi que ce soit d'autre et non comme le résultat d'une appellation mentale. Il se présente établi sur son propre terrain et ne paraît pas conditionné par une situation dans laquelle on ne le trouve d'ailleurs pas ultimement. Il surgit comme si, depuis le commencement, il possédait sa propre base comme nature finale. Ne l'envisagez pas ainsi, ne le prenez plus pour ce qu'en peuvent saisir vos agrégats impurs. En ce qui concerne son véritable mode d'existence, vous n'avez pas trouvé l'objet lui-même, mais une situation provenant de la force des circonstances et des conditions. Quand la conséquence de vos analyses devient claire, alors sans en plus saisir le mode apparent d'existence, vous serez convaincu que « ce » qui se trouve là n'est que le résultat de nombreux facteurs conditionnels et circonstanciels.

Texte : *En résumé, vous devez toujours revenir à cette réalisation de ne rien appréhender de la manière dont cela apparaît. Appuyez votre compréhension par la méditation de la vacuité ressentie comme espace pendant vos périodes de concentration sur un point et voyez les phénomènes comme des mirages pendant les périodes intermédiaires de la vie quotidienne.*

— « Quand vous aurez obtenu, par le raisonnement sur les origines interdépendantes appliqué à un seul phénomène, la totale conviction de sa non autonome existence — la vacuité n'empêchant pas les apparences et les apparences n'obstruant pas la vacuité — quand la vacuité se dégage du sens des origines interdépendantes et que les origines interdépendantes découlent du sens de la vacuité, quand vous aurez la réalisation de cela au sujet d'un seul phénomène, la nature de *tous* les phénomènes deviendra claire de la même manière, vous reconnaîtrez la même vacuité dans tous les phénomènes et vous la trouverez aussi dans votre propre esprit.

⁎

Texte : *Une explication complète a été considérée comme impropre à ce temps-ci et remise à des temps futurs, selon ce qui est proclamé dans le Sadarna Pundarika sutra : « Ce qui ne peut être réalisé que par la conscience primordiale d'un Bouddha, ne peut être expliqué à ceux qui désirent connaître cette méthode. Ils doivent comprendre qu'ils ont premièrement à acquérir l'état de Bouddha, parce que seul, le Bouddha a la vision de tous les temps. Donc pour que des réalisations comme celle-ci puissent être, un jour, accomplies, je n'ai pas laissé dégénérer la pensée de la lignée des maîtres, de ceux qui ont intégré et réalisé le chemin du maître incomparable le Bouddha Sakyamuni, jusqu'à mon Guru-racine, l'omniscient Sanghié Yeshé.*

— « Ce texte est apparemment un enseignement restreint, car tout ce qui ne fait pas partie des dix-huit volumes composant l'œuvre de Djé Tsong Khapa doit être considéré comme enseignement restreint. Nous pouvons constater qu'ici la manière de parler est légèrement différente de celle qu'utilise Djé Tsong Khapa dans ses textes longs et courts sur Lhag Tong et Driangnge lègchè niengpo, aussi bien que dans ses divers commentaires. On trouve aussi un certain nombre de citations tirées d'ouvrages Kargyud, de même que des termes employés dans le Lama Choepa en rapport avec le Mahamudra tantrique comme « primordiale Bouddhéité », le nom de « Samantabhadra » et des formules en rapport avec les quatre initiations. Il est donc un mélange des deux voies et en regardant attentivement, le tout est « teinté » par la vue Dzog Chèn.

Ceci dit, nous pouvons établir que parmi la lignée des Geshés Gelugpa, il existait une tradition d'explications personnelles et secrètes qui n'était pas professée ouvertement. Il y avait un enseignement qui s'est transmis de bouche à oreille jusqu'à Khedup Sanghié Yeshé et auquel le Panchen Lama Losang Gyaltsen s'est référé dans cet écrit.

Colophon : *Ceux qui possèdent la pure ligne directrice des sutras et des tantras ont compilé ceci au Monastère de Ganden Nampar Gyalwai Ling afin que la transmission en soit assurée.*

Conclusion de Sa Sainteté.

— « Mon explication de ce texte de base, extrêmement clair, du Mahamudra, est achevée. Il propose un but élevé à l'esprit et lui est profitable, il est en étroite relation avec la pratique de l'étape d'accomplissement des tantras. J'ai donné cet enseignement parce qu'il m'a été demandé et pour que la bénédiction des maîtres de cette lignée (qui continue) soit transmise. Après cet entretien, vous ne serez pas capable d'avoir une compréhension parfaite de chaque point de ce discours. Essayer de comprendre uniquement sur une explication donnée n'est du reste d'aucun profit. Les avantages et résultats découleront de votre propre expérience que vous devrez affirmer par une conviction qui ne pourra être acquise que par une constante réflexion. Vous devrez, d'une part, analyser avec intelligence et d'autre part vous devrez avoir le support d'une purification suffisante et d'une collection de vertus. Si vous avez ce support, il suffira de la plus légère circonstance pour vous permettre de réaliser la non-inhérente existence ; mais si ce support vous manque, même si vous êtes instruits et que vous pratiquiez avec d'autres qualifications il vous sera très difficile de saisir une « vue » correcte et non déformée.

Donc, sur la base de l'écoute, de la réflexion et de la méditation étayée de vertus et d'une réelle purification, vous obtiendrez la certitude de la vacuité, nature profonde de tous les phénomènes. C'est ce que tous les saints maîtres ont déclaré.

GLOSSAIRE

Ahrat, sage ayant atteint le Nirvana selon les normes Hinayana.

Canaux et « airs », éléments psycho-physiques subtils utilisés dans les méthodes tantriques.

Cinq constituants, groupes ou agrégats dont l'ensemble résume l'individu.

Cittamatra (ou Yogacarya), l'un des quatre systèmes philosophiques bouddhiques. Les Cittamatrins appartiennent au Mahayana et soutiennent que le monde phénoménal est de la nature de l'esprit.

Claire lumière, terme tantrique pour désigner la nature ultime de l'esprit.

Dharma (littéralement : ce qui tient). Avec un d minuscule, désigne tout ce qui « tient » l'existence, soit chaque phénomène. Avec un D majuscule, signifie ce qui « tient » les êtres et les empêche de tomber dans la souffrance samsarique. Les Bouddhistes emploient le mot Dharma pour tout enseignement religieux, chrétien, musulman, etc. L'enseignement du Bouddha est appelé le Bouddha-Dharma.

Djé Rimpoché, nom familièrement respectueux appliqué à de très hauts lamas. Il est donné ici à Tsong Khapa, réformateur du Bouddhisme tibétain au XVe siècle et fondateur de l'ordre des Geḷug pa.

Douze liens, étapes successives du processus de la naissance et de la vie, ce sont : l'ignorance, l'action, la conscience, le nom et la forme, les sources (les six sens), le contact, la sensation, l'attachement, la saisie, l'existence, la naissance, le déclin et la mort.

Enseignements définitifs ou interprétables (nécessitant une interprétation), les écoles bouddhiques de l'Inde ont décrété qu'un certain nombre de sutras étaient « la parole claire de Bouddha » et, comme tels, devaient être pris dans leur sens littéral et classés dans une catégorie d'enseignements définitifs, tandis que d'autres, s'adressant intentionnellement à un public spécial ou de signification cachée devaient être interprétés.

Les différentes écoles philosophiques ne se sont pas toujours accordées au sujet du classement des divers enseignements dans les deux catégories.

Esprit, ici est synonyme de conscience générale ou courant de conscience. Le Bouddhisme reconnaît différents niveaux de conscience et divise aussi la conscience d'après ses fonctions : conscience visuelle, auditive, mentale, etc. L'esprit contient et recouvre toutes ces divisions.

Gelug pa et Kargyud pa, sont deux parmi les quatre ordres (ou sectes) du Bouddhisme tibétain.

Karma (littéralement action). Dans l'enseignement bouddhique, le karma représente le résultat des actions commises (par le corps, la parole ou l'esprit) imprégnant le courant de conscience et provoquant, par cela, de nouvelles actions produites automatiquement. Le karma détermine l'un des domaines samsariques dans lequel il oblige le courant de conscience à reprendre naissance.

Lam Dhé, livre de base de l'ordre Sakya pa.

Mahayana, grande voie, ou grand véhicule, ou voie des Bodhisattvas.

Mahamudra, les mudras sont des gestes et positions, particulièrement des mains et des doigts lorsqu'ils accompagnent certains rites. Ils symbolisent l'état d'esprit ou les actions impliquées dans ces rites. Le Mahamudra est la posture de deux déités en union, symbolisant l'union de la sagesse et de la méthode. Le maha (grand) mudra accompagne l'ultime méditation qui conduit immédiatement à l'état de Bouddha.

Mantra, formule sacrée composée de syllabes destinées à mettre le récitant en contact avec les qualités, les énergies ou le symbolisme de la déité envisagée.

Posture de Vajra, sept points à considérer : position assise, les jambes croisées, le pied droit sur la cuisse gauche et (si possible) le pied gauche sur la cuisse droite, plantes des pieds en haut. Les deux mains forment un œuf, la main droite sur la main gauche, les pouces joints à la hauteur du nombril. La colonne vertébrale doit être très droite, la tête légèrement penchée en avant, la bouche fermée sans tension, la langue touche le palais. Les yeux regardent le bout du nez, ou par terre devant soi, sans fixité.

Prasangika, la vue Prasangika est une des deux divisions de l'école Madhyamika qui est considérée comme la plus évoluée des écoles philosophiques bouddhiques. Les Prasangika usent de syllogismes pour convaincre leurs adversaires et leur nom vient de prasanga qui veut dire conséquence.

Ronde des neuf respirations, il s'agit d'une suite de longues quoique silencieuses respirations, destinées à aider l'esprit à se débarrasser des trois erreurs de base : l'ignorance, le désir et l'aversion.
Elles doivent être accompagnées de la visualisation des trois plus importants canaux psychophysiques subtils qui sont placés devant la colonne vertébrale. Chacun de ces canaux étant

considéré comme le véhicule d'une des trois énergies négatives énumérées ci-dessus.

Cet exercice ne doit être entrepris qu'après en avoir reçu l'explication et la permission d'un maître.

Samsara, état de conscience conditionné par les données du karma provoquant un cycle continuel de renaissances sans liberté de choix.

Sangha, ensemble des moines bouddhistes ; il suffit d'une réunion de quelques moines pour que l'on parle d'un Sangha.

Dans les Refuges Mahayana, le Sangha auquel on s'adresse est l'ensemble des pratiquants supérieurs et des Bodhisattvas.

Trois disciplines, ce sont la moralité (sila), la méditation (samatha) et la sagesse (prajna).

Trois mondes, l'univers bouddhique comprend le monde du désir qui est le nôtre, le monde de la forme et le monde sans forme.

Vajradhatu, littéralement : sphère adamantine. Domaine de la vacuité.

Vue, la « vue » bouddhique est presque l'équivalent de thèse ; mais alors que ce dernier terme provient de raisonnements conceptuels, d'élaborations discursives la vue bouddhique est le résultat de raisonnements appuyés de contemplation et d'expérience.

La « vue » est considérée comme étant celle que le Bouddha avait sur le sujet proposé.

Dans la même collection

L'ÊTRE ET L'ESPRIT

*Achevé d'imprimer en juin 1998
sur les presses de l'Imprimerie Bussière
à Saint-Amand (Cher)*

N° d'impression : 1372.
Dépôt légal : juin 1998.

Imprimé en France